Favourite Gospels

For SSA Choir With Piano Accompaniment

Arranged by Chris Norton & Leroy Johnson

Cover design by Miranda Harvey
Printed in the United Kingdom by Caligraving Limited, Thetford, Norfolk

Novello Publishing Limited
8-9 Frith Street London W1D 3JB

Lean On Me

Words & music by Bill Withers
Arranged by Chris Norton & Leroy Johnson

rows. ___ But if we are wise, ___ we know that there's ___
row. ___ I'm right up the road ___ and I'll share your load ___

rows. ___ But if we are wise, ___ we know that there's ___
row. ___ I'm right up the road ___ and I'll share your load ___

rows. ___ But if we are wise, ___ we know that there's ___
row. ___ I'm right up the road ___ and I'll share your load ___

1.
al-ways to - mor - row. ___
if you just

2. *mf*
call ___ me. Lean on me,

al-ways to - mor - row. ___
if you just

mf
call me. Lean on me,

al-ways to - mor - row. ___
if you just

mf
call ___ me. Lean on me,

mf

when you're not strong,_____ I'll be your friend,___ I'll help you

when you're not strong,_____ I'll be your friend,___ I'll help you

when you're not strong,_____ I'll be your friend,___ I'll help you

car - ry__ on.__ For it won't be long_____ 'til I'm gon-na need_

car - ry__ on.__ For it won't be long_____ 'til I'm gon-na need_

car - ry on.__ For it won't be long_____ 'til I'm gon-na need_

4

I'm right up the road,___ I'll share your load,___ if you just

I'm right up the road,___ I'll share your load,___ if you just

I'm right up the road,___ I'll share your load,___ if you just

call___ me.___ You just call on me bro - ther when you need a hand.___ We all___

call me.___ You just call on me bro - ther when you need a hand.___ We all___

call___ me.___ We all___

need some-bo - dy to lean_____ on._ You just might have a problem that

need some-bo - dy to lean_____ on._ You just might have a problem that

need some-bo - dy to lean_____ on._

D. 𝄋 al Coda

I'll un-der - stand._ We all_ need some-bo - dy to lean_ on._ Lean on me

I'll un-der - stand._ We all_ need some-bo - dy to lean_ on._ Lean on me

We all_ need some-bo - dy to lean_ on._ Lean on me

Standing In The Need Of Prayer

Traditional
Arranged by Chris Norton & Leroy Johnson

me, it's me, it's me, oh___ Lord,___

me, it's me, it's me, oh___ Lord,___

me, it's me, it's me, oh___ Lord,___

stand - ing in the need of___ prayer.___ It's

stand - ing in the need of___ prayer.___ It's

stand - ing in the need of___ prayer.___ It's

mo - ther, not my fa - ther, but it's me, oh___ Lord,___
bro - ther, not my sis - ter,

mo - ther, fa - ther, me, oh___ Lord,___
bro - ther, sis - ter,

mo - ther, fa - ther, me, oh___ Lord,___
bro - ther, sis - ter,

stand - ing in the need of___ prayer.___ It's

stand - ing in the need of___ prayer.___ It's

stand - ing in the need of___ prayer.___ It's

me, it's me, it's me, oh___ Lord,___

me, it's me, it's me oh___ Lord,___

me, it's me, it's me oh___ Lord,___

mf

stand - ing in the need of___ prayer.___ It's

stand - ing in the need of___ prayer.___ It's

stand - ing in the need of___ prayer.___ It's

f

me, it's me, it's me, oh___ Lord,___

me, it's me, it's me, oh___ Lord,___

me, it's me, it's me, oh___ Lord,___

stand - ing in the need of___ prayer.___

stand - ing in the need of___ prayer.___

stand - ing in the need of___ prayer.___

Stand - ing in the need of___ prayer.___

Stand - ing in the need of___ prayer.___

Stand - ing in the need of___ prayer.___

Stand - ing in the need of___ prayer.___

Stand - ing in the need of___ prayer.___

Stand - ing in the need of___ prayer.___

Amazing Grace

Words & music by John Newton
Arranged by Chris Norton & Leroy Johnson

saved a_____ wretch like__ me._____ I__
grace my_____ fears re - lieved._____ How__
have al - rea - dy__ come._____ Twas__

once was_____ lost, but now I'm found, was__
pre - cious_____ did that grace ap - pear the__
grace that_____ brought me safe this far and__

18

Soon And Very Soon

Words & music by Andrae Crouch

soon and ve - ry soon___ we are go - ing to see the king.___

soon and ve - ry soon___ we are go - ing to see the king.___

soon and ve - ry soon___ we are go - ing to see the king.___

Soon and ve - ry soon___ we are go - ing to see the king,___ Hal - le -

Soon and ve - ry soon___ we are go - ing to see the king,___ Hal - le -

Soon and ve - ry soon___ we are go - ing to see the king,___ Hal - le -

26 Soprano solo*

mf

We have

grace   till   we   reach___   the   oth - er   side.___

grace   till   we   reach___   the   oth - er   side.___

grace   till   we   reach___   the   oth - er   side.___

* **Very freely** – this is just a guide to how it can be sung

28

come___ from ev-ery na - tion   God___ knows___ each of us by name.

mp

Ooh,___   ooh,___

mp

Ooh,___   ooh,___

mp

Ooh,___   ooh,___

mp

Je - sus took his blood_ and He washed our sins___ yes, he washed them all_ a-way

ooh,_____ ooh.

ooh,_____ ooh._____

ooh, ooh._____

yet, there are some of us___ who have laid_____ down our lives and we

Ooh,_____ ooh,_____

Ooh,_____ ooh,_____

Ooh,_____ ooh,_____

all shall live a - gain___ on the oth - er side.

ooh,_____ ooh.

ooh,_____ ooh.

ooh, ooh.

Soon and ve - ry soon___ we are go-ing to see the king,___

Soon and ve - ry soon___ we are go-ing to see the king,___

Soon and ve - ry soon___ we are go-ing to see the king,___

soon and ve - ry soon___ we are go-ing to see the king.___

soon and ve - ry soon___ we are go-ing to see the king.___

soon and ve - ry soon___ we are go-ing to see the king.___

Soon and ve - ry soon___ we are go-ing to see the king.___ Hal - le

Soon and ve - ry soon___ we are go-ing to see the king.___ Hal - le

Soon and ve - ry soon___ we are go-ing to see the king.___ Hal - le

Down By The Riverside

Traditional
Arranged by Chris Norton & Leroy Johnson

I'm gon - na lay down my bur - dens
lay down my sword and shield
put on my long white robe

lay down my bur - dens down by_____ the
lay down my sword and shield down by_____ the
put on my long white robe

down by the

down by the

riv - er_____ side_____ and stu - dy war no_____

riv - er_____ side_____ and stu - dy war no_____

riv - er_____ side_____ and stu - dy war no

more. I ain't gon - na stu - dy__ war__ no__ more

more. I ain't gon - na stu - dy__ war__ no__ more

more. I ain't gon - na stu - dy__ no__ more

stu - dy__ war__ no__ more,

stu - dy__ war__ no__ more,

stu - dy__ war__ no__ more,

stu - dy war no more._____ I ain't gon - na
stu - dy war no more._____
stu - dy war no more._____

stu - dy___ war___ no___ more, stu - dy___ war___ no___ more,
stu - dy___ war___ no___ more, stu - dy___ war___ no___ more,
stu - dy war___ no___ more, stu - dy___ war___ no___ more,

stu - dy war no_____ more.

stu - dy war no_____ more.

stu - dy war no more.

12/05(5705